Roee Rosen

Live and Die as Eva Braun

Hitler's Mistress, in the Berlin Bunker and Beyond

An Illustrated Proposal

for a Virtual-Reality Scenario

Not to Be Realized

סצינה 1: הַמְתנה / Scene 1: The Wait

לקוח יקר: ברגע שתעטה את הקסדה, את החליפה האלקטרונית ואת החיישנים המתוחכמים תמצא את עצמך בחדר האורחים של הבונקר. סוף אפריל, 1945. המעון התת־קרקעי נוח ומהודר, גם אם קודר וחמור משהו. הבידוד האקוסטי של הקירות מעמעם את רעש הטילים המתפוצצים, אבל אתה חש בהדף בשל הרטטים המשתגרים בחדרים ובגופך. המאהב שלך עומד להגיע. אתה פונה לכיוון חדר האמבטיה כדי להכין את עצמך.

אתה מתבונן בראי, רוכן קדימה, ודמותך מתגלה לעיניך בפעם הראשונה. אתה בלונדינית, פניך עדיין צעירים, עורך ורדרד־טהור, שדיך שופעים. ניכר שטבעך טוב. כל אחד היה שמח להיות את, אבל לגביך זה צריך להיות פשוט מובן מאליו – אתה אווה בראון.

הוא מאוד לא אוהב איפור. גם לא בשמים. ניחוחות גוף קלים צריכים להירמז מבעד לניקיון חסר־ריח. את תורגלת לכך באופן כל־כך שיטתי, עד שהטבעיות הזו היא כמעט טבעית. תִפקודי הגוף שלך מושלמים; אף לא סימן של פרקים חלודים או מעיים חסרי מנוח. יכולת להישאר עומדת כך לנצח מול בבואתך, אבל את מוצאת את עצמך מסתובבת, וחוזרת אל החדר המרכזי.

את יושבת בכורסת העור שמול הדלת, ומחכה. מבטך נע בין מגזין עם תמונות המונח על ירכייך ובין טרקלין הכניסה. על הדפים צילומים של חיילים נאים ופצועים ונערות־כפר עליזות. בקצה הטרקלין דלת הברזל הכבדה. מי היה מאמין, אתה קורא גרמנית! למעשה, אתה קורא גרמנית אפילו אם אינך מבין מילה. אחרי הכל, זוהי שפת אמך - מכיוון שאתה אווה בראון.

Dear Customer: As soon as you put on the state-of-the-art head-gear, body-suit, and electronic sensors, you find yourself in the bunker's living room. Late April, 1945. The subterranean quarters are comfortable and opulent, if somewhat morose. The noise of exploding bombshells is dimmed by sound-proof walls, but you sense the blasts by the shudders sent through the rooms and up your body. Your lover is about to arrive. You head to the bathroom to tidy yourself up.

You look in the mirror, leaning forward, and your own image is revealed to you for the first time. You are blond, your face is still young, your complexion pinkish-pure, your bosom ample. You seem truly good-natured. Anyone would be thrilled to be you, but for you it should merely be a given – you are you.

He doesn't care for make-up. No perfumes. Light body odors are to be hinted at through a scentless cleanliness. You have been indoctrinated thoroughly, and so this naturalness comes almost naturally to you. The operations of your body are smooth. Never a sign of rusty joints or restless bowels. You could look at your reflection forever, but you find yourself turning, and going back to the main room.

You sit on the black leather armchair in front of the door, and wait. Your gaze shifts from a picture magazine, spread on your thighs, to the front corridor. On the pages, photos of handsome, wounded soldiers and happy farm girls; at the end of the corridor is the heavy iron door. Why, you read German! In fact, you read it even if you don't understand a word, after all, it's your mother tongue – since you are Eva Braun.

סצינה 2: ההגעה / Scene 2: The Arrival

התרגשות מחשמלת את גופך כשאת שומעת את הצעדים בחוץ. כשהוא פותח את הדלת נשמתך נעתקת למראה השפמפם. מאחר שאתה לא רק אווה, השפמפם נראה מרושע, כמעט מפלצתי. אבל כל מה שמסביב לו כל כך שופע נעימות. הוא מתקרב לעברך בחמימות שכזו; חיוכו עייף, זרועותיו פתוחות לחבק אותך. אל תשכח - אתה אווה. כשזרועותיו של היטלר סוגרות עליך, המראות מסביב מחשיכים ונוכחותו אופפת אותך. הריגוש מכריע אותך כמעט כשאת חשה בזיפי ציצית הפנים הקטנה מדגדגים את אוזנך ואת גב צווארך. את מתענגת על ריח הזיעה החמוצה של אדם זקן העולה מתוך המדים הגבריים. את אמורה לזכור, שרק לפני זמן קצר ריח הזיעה שלו היה מתוק מאוד. סימנים יפים וגאים של תזונה צמחונית ניכרו בכל ההפרשות שלו. אף לא רמז של ריקבון, אף פעם. החמיצות החזקה, החדשה, המותניים הרופסים, השדיים הגבריים הנפולים שנוצרו זה לא כבר - כל אלו הם הפירות המרים של התבוסה העולמית. בעודך מתענגת על דגדוג הזיפים את מבינה, בגאווה מסוימת, שאת הנך מקום־מקלט מיוחד לאיש המיוחד הזה, המאהב שלך.

Excitement jolts through your body when you hear the steps outside. When he opens the door you gasp at the sight of his small mustache. Because you are not only Eva it seems menacing, almost monstrous. But everything around the mustache is so congenial. He comes towards you with such warmth, his smile tired, his arms open to embrace you. Remember – you are Eva. When Hitler closes his arms around you, the view darkens and you are surrounded by his presence. You are almost overwhelmed with titillation when you feel the whiskers of that famous little facial tuft tickle your ear and the back of your neck. You relish the sour smell of an old man's sweat contained within the manly uniform. You ought to remember that only a while back the smell of his sweat was very sweet, all his secretions had the proud marks of vegetarian nutrition. Never a hint of decay. The new, sharp sourness, the flabby waist, the recently formed, sagging male breasts – those are the bitter fruits of global defeat. Delighting in the tickle of the whiskers you realize with some pride that you are the special sanctuary of this special man, your lover.

סצינה 3: שליטה / Scene 3: Control

הוא צורח על אנשים אחרים בטלפון. משהו בקשר לאספקת נשק, לגילם של חיילים המגויסים עתה כדי למנוע את התקדמות האויב, חיילים צעירים מאוד שמותם בטוח.

למרות שאין ספק שאת דוברת גרמנית, דומה שהמילים אינן ניתנות לפענוח. אבל למילים אין חשיבות. המילים משניות באופן ברור לעומת כוחו, עוצמתו, הביטחון והזעם שלו. העולם שמחוץ לבונקר מתכווץ בכלימה כמו עבד נרצע כשהוא מאזין למאהב שלך. הכוח שלו מדהים, מאבן - ואין דבר המגלם את הכוח הזה טוב יותר מהוורידים האציליים לאורך צווארו.

התנפחות כלי־הדם הללו היא אות מעורר מורא. הנחשים הסגולים הנפלאים הולמים ורוטטים מבעד לנרפותו המקומטת של העור הלבן־אפור, מתכווצים ומתרחבים כשהוא צווח ויורק אל תוך השפופרת. צינורות הדם האלו יודעים את עוצמתם הנשגבת, ועם זאת את מתבוננת בהם, בתעלות המלכותיות הללו, בחיות־בתוך־חיה הללו, מתוך קרבה אינטימית ייחודית. את יכולה, אם רק תחפצי בכך, להושיט את אצבעך ולמשש אותם. והם ייכנעו למגעך ויגרגרו כמו חתלתולים.

He shouts at other people over the phone. Something to do with the supply of arms, the age of prospective soldiers, newly enlisted to fight the advance of the enemy, very young soldiers, bound to die.

Even though, surely, you speak German, the words seem incomprehensible. But never mind the words. Clearly they are secondary to his power, his might, his conviction and anger. The world outside the bunker, slavishly listening to your lover, is meekly shrinking. His power is perturbing, petrifying – and nothing is a better emblem of that power than the magisterial veins along his neck.

The swelling of these blood vessels is awe-inspiring. Those magnificent purple snakes wiggle and pound in the wrinkled looseness of the white-grey skin, contracting and expanding as he bellows and spits into the receiver. Those bloody pipes know their miraculous power, yet you behold those regal tubes, those animals within an animal, with a special intimacy. You can, if you so choose, extend your finger and stroke them. And they'll submit and purr like kittens.

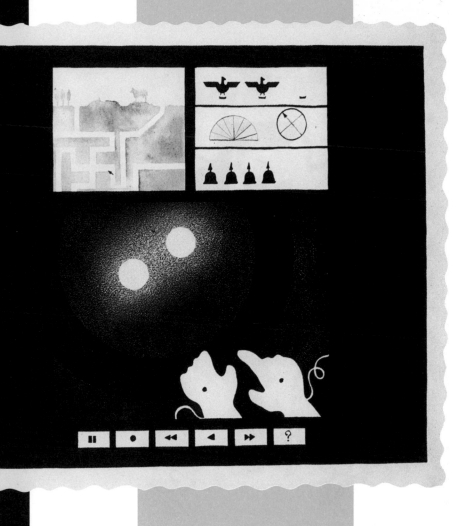

סצינה 4: המיטה / Scene 4: The Bed

הֶדף ההפצצות לא חדל בלילה. ההשפעה שלו עלייך נעה שוב ושוב בין שני מצבים. למשך פרקי זמן ארוכים פוקדת אימה את גופך, מכווצת את השלפוחית שלך, רועמת ברקותייך עד שהיכולות המילוליות ותפקוד השרירים שלך קורסים. או אז, באותה מידה של סדירות, את מתרוממת אל מצב של רוגע היפנוטי, רדום, כמו נמנום פעוטות כשהעריסה מיטלטלת מצד לצד.

את שוכבת על הצד, עינייך פקוחות. גבו של אדולף מתנשם לפניך. העור התכלכל־לבנבן, שופע הבהרות, מכוסה שערות שחורות, עבות, הצומחות וזורמות בסדר מעורר השתאות, כמו שורות של עצים בחורש מלאכותי. בין העצים האדמה מלאה בגומות ורדרדות, פטריות חומות, שיחים ונקבוביות, וכל המישור המרהיב הזה עולה ונופל בקצביות איטית. את בוהה בגב בראש ריק לחלוטין ממחשבות. לפתע, מתוך שינה, הוא מסתובב לעברך. זרועו מתרוממת לחבק אותך. מבטך עוקב אחר הזרוע כשהיא מתקרבת, כשהיא גדלה, כשהיא מרחפת מעלייך כמו קורה ענקית, אפלה, של בשר, כשהיא סוגרת עליך מלמעלה, כשהריח האנושי הקלוש פולש לנחירייך. אישונייך נעים מעלה בהילוך־איטי, במעקב אחר התנועה הקולוסאלית, עד שאת חשה לבסוף את הלחץ הכבד של הגפה הרדומה על צווארך ונשימתך נעשית כבדה.

האם את נהנית מהחנק הזה – המשקל הזה, הניחוח המדומה, המטען הנם, המלבב, הגובר על ההתפוצצויות וגורם לתודעתך להתמקד בעובדתיות החומרית שלו, הטרדה האינטימית הזו על גופך – קצת כמו כאב־שיניים?

The tremors of the bombing do not cease at night. Their impact on you shifts time and again. For long spells, horror haunts your body, cramps your bladder, pounds in your temples. Your verbal capacities and muscular control falter. But then, just as regularly, you are lifted into an hypnotic, anesthetized calm, like infants lulled at the rocking of the cradle.

You lie on your side, your eyes open. Adolf's back is heaving in front of you. The bluish-white, bespeckled skin is covered with thick, black hairs, stemming and streaming with haunting regularity, like trees in a man-made forest. In between the trees the ground is covered with pink crannies, brown mushrooms, bushes and pores, and all of this magnificent turf is rising and falling rhythmically, slowly. You gaze blankly at the back. Suddenly he turns around, in his sleep, toward you. His arm is rising to enfold you. Your gaze follows the arm as it grows near, as it grows, as it looms above you like a gigantic slab of meat, as it closes on you from above, as the faint, fleshy aroma infiltrates your nostrils. Your pupils shift to follow this colossal, slow-motion move until you feel the heavy pressure of that sleepy limb on your neck, and your breathing becomes harder.

Do you enjoy this suffocation, this weight, this virtual fragrance, this sleepy, lovely burden which overpowers the explosions, and makes your consciousness center on its corporeal factuality, this intimate strain on your body, somewhat like a toothache?

You are Eva Braun!
Every Tuesday & Thu

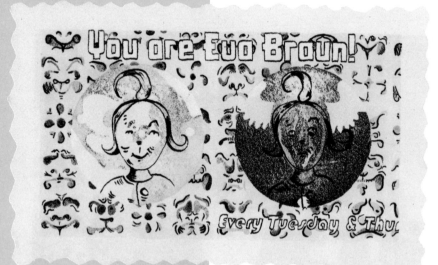

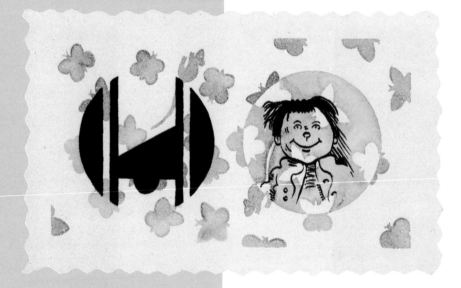

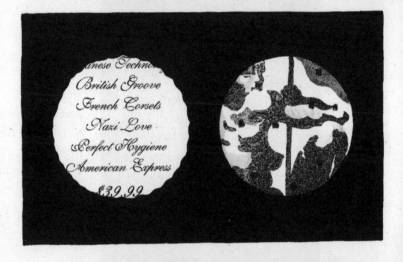

...anese Techno...
British Groove
French Corsets
Nazi Love
Perfect Hygiene
American Express

£39.99

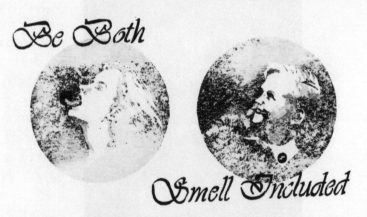

Be Both

Smell Included

סצינה 5: החלום / Scene 5: The Dream

הדימוי המהבהב לפנייך כעת, את מבינה, הוא חלום. אווה ישנה ואתה חולם את חלומה. אבל מנין מגיעה הסצנה הפרוורטית הזו, רבת־רושם כל כך, עד שאתה מבין שזהו חלום החוזר על עצמו, למרות העובדה שזו הפעם הראשונה שאתה ישן בתור אווה? מתוך עצם השאלה מופיע עוד דימוי – זיכרון אותנטי של אווה, המופק, כך נראה, כמין תשובה. זהו הלילה עטור התהילה ההוא ב־1939, כשבבדיחות־דעת הוא ביקש להתבונן בך כשאת משתינה, כאילו כדי לחגוג את הפלישה הקלילה לפולניה במחווה נון־שלאנטית של אומניפוטנציה, בהנאה של פחזות מדודה. פשטת את כל בגדייך, מציגה בגאווה את הפטמות הוורודות המלבבות שלך, זקורות תמיד כמו שני משושים ערניים, את בטנך החלקה כשנהב, גבעת־הוונוס הזהובה שלך, סימטרית לחלוטין, משולש שלעולם אינו זקוק לגיזום. הוא ישב על שרפרף קטן לפני הדלת הפתוחה, ירך על ירך, מגפיו על רגליו, חיוך משועשע על שפתיו. אבל את ידעת עד כמה הוא נרגש, משום שההבעה שעל פניו היתה קפואה, פרט לעווית הזעירה שגרמה לפרפור בעפעפו השמאלי. ואז הִשתנְת – קילוח קווי ורצוף ושליו.

ובכל זאת, האם באמת יכול הזיכרון הזה להיות מקורו של החלום? הרי, בסופו של דבר, באותו לילה ב־'39 הוא לא פשט את מדיו, והוא הסב את מבטו כשהבחין בטיפה שקופה נוצצת על תלתל קטן בין ירכיך. ובחלום, לעומת זאת, אין שום סימנים של מבוכה, מעצורים, בושה או אירוניה.

בחלום הוא מתחתייך, פיו פעור לרווחה, ועיניו נעוצות במסירות יוקדת בערוותך. את רואה את פניו מלמעלה, למעלה, כשמפשעתך רוכנת אט אט כדי לנשוק לשפתיו הפשוקות. את מתבוננת בקלסתרו של הדיקטטור, ילדותי כמעט בכוונת־המכוון שלו, מוקף וממוסגר בירכייך הכבדות. את מדביקה את ההוד והיקר השמנמן של שפתייך־התחתונות אל אלו העליונות, הדקות והחיוורות, שלו. את עומדת להפקיד את ההפרשה הנוזלית הצהובה שלך כאילו היתה מתת־שמים.

The image that now flickers in front of you, you realize, is a dream. Eva is asleep and you dream her dream. But whence this perverse scene, so strong you realize it must be a recurring dream, even though this is the first time you sleep as Eva? As the question is raised, another image appears – a genuine Eva memory, produced, it seems, as an explanation. It is that glorious night in 1939, when he jokingly asked to watch you pee, as if to mark the easy invasion of Poland with a nonchalant gesture of omnipotence, the glee of measured naughtiness. You took off all your clothes, proudly displaying your lovely pink nipples, always erect like two vigilant tentacles, your ivory-smooth belly, your golden Venus-mound, perfectly symmetrical, never in need of a trim. He sat on a small stool in front of the open door, legs crossed, boots on, bemused smile on his lips. But you knew how excited he was, because his expression was frozen stiff, save for a tiny tic that made his left eyelid flicker.

Yet is this really the source of the image in the dream? After all, that night in '39 he kept his uniform on, he averted his

gaze when he saw the transparent drop gleaming on a little curl between your thighs, whereas the image in the dream has no marks of reservation, shame, restraint or irony.

In the dream he is below you, his mouth open wide, and his eyes stare with devotion at your sex. You see his face from high above as your pudenda slowly descend to kiss his gaping orifice. You look at the visage of the dictator, almost childish in its intent expression, flanked and cropped by your heavy thighs. You glue the chubby resplendence of your nether-lips to his thin upper ones. You are about to deposit your yellow liquid refuse as if it were a divine gift.

סצינה 6: דמעות / Scene 6: Tears

כמה זה מוזר, בעצם, שלא ציפית למות. תמיד סמכת על היכולת שלו להכריע בעניינים ממיתים – זו היתה יכולת שלא הכזיבה מעולם. כאילו בעצם העובדה שהוא פיזר מוות מסביבו, מפיץ וזורע ומחלק אותו לכל כיוון ברוחב־יד כזה, הוא יצר בועה של בריאות וחיי־נצח בעבור שניכם. הוא היה בעל משאבים ויצירתי עם המוות, ויצירתיות הריהי תחמושת החיים. עובדה: יותר מתריסר שנים חלפו מאז שניסית לאחרונה להתאבד, וגם אז הסיבה היתה רק העדרויותיו הממושכות. עובדה: לא ביקרת אצל רופא זה שנים. ועובדה: העור הצח שלך; העור הריהו הנייר שעליו רושם הגוף את תלונותיו, ושלך נטול־רבב. וגם בואה של ההתאבדות עכשיו לא הותיר שום רושם על עורך. ההתאבדות שלכם תוכננה למופת, בפרוטרוט, בחגיגיות, כמו טקס; ההכנות הללו לא אייתו סוף מוחלט. רק עכשיו את לא יכולה להתעלם מחוטמו השחור של האקדח. רק עכשיו, כשאת מבינה שנגזר על מסכת חייך להישאר לא מתוכננת ולא גמורה, את חשה בדמעות החמות זוחלות במורד פנייך כמו שני שובלי ריר של שני חלזונות גדולים. תחושה של דמעות לא היתה אף־פעם מציאותית כל כך.

הצד שבך שאינו אווה אפילו פחות מוכן למות. כיצד ניתן ליצור אשליה של מוות? ומה מתוכך אמור למות בשמה של יומרה שכזו? האם החיים יהיו באמת אותם חיים לאחר שהאווה שבך תמות? איך יהיו החיים שלאחר המוות, איך יהיה המוות המדומה בחיים האמיתיים? איך יהיו החיים אחרי החיים שאחרי המוות? ולמה העגמה, הייאוש, דווקא עכשיו, כשההתרגשות של החיזיון עולה ומטפסת אל פסגתה הגבוהה ביותר?

הצד שבך שאינו אווה פגוע כל כך, שגם הוא בוכה. וכך שני סוגי דמעות, שני שובלים שונים של צער, מתער־בבים על לחייך.

How odd it is, really, that you do not expect to die. You always trusted his power to decide on deadly matters – it has been infallible – as if by casting death around, assigning and sowing it so generously, he created a bubble of health and immortality for you two. He has been resourceful and creative with death, and creativity is the ammunition of life. It's a fact: you haven't been to the doctor in years. Your clean skin. The skin is the paper on which the body writes its complaints, and yours is spotless. And the coming of suicide left no impression on your skin either. Your suicide has been planned meticulously, festively, like a ceremony. Those preparations did not seem to spell anything terminal. Only now you are unable to ignore the sight of the gun's black nozzle. Only now, realizing that the scheme of your life is destined to go unplanned and unfinished, you feel the warm tears crawling down your face like trails left by two big snails. Tears have never felt that real.

The side of you that is not Eva is even less prepared to die. How can death be simulated? And what of you is supposed to die in the name of such pretense? Would life really be the same once the Eva in you died? What would life after death, life after life after death be like? And why the gloom, the despair where the thrill of spectacle ought to be peaking at its acme?

The side of you that isn't Eva is so affected that it weeps as well. And so two kinds of tears, two different trails of sorrow, intermingle on your cheeks.

סצינה 7: הירייה / Scene 7: The Shot

לפני שהוא יורה בך הוא מצמיד את שפתיו לשלך בנקמנותו של הייאוש, אגרופו חופן את פדחתך מאחור בכוח. שפתיו יבשות כל־כך שנדמה שהן יונקות ומוצצות ומרוקנות את כל נוזלי גופך. ריח לא נעים עומד באוויר; שתן, קרוב לוודאי. אבל את מעדיפה לא לדעת. הוא מכוון את הקנה אל מצחך.

את רוצה לעצום את עינייך בחזקה, אבל עפעפייך מסרבים. את בוהה בו כמכושפת. מה את רואה, בעצם? כמה אהבה יכול להכיל רחם שנגזר עליו להישאר ריק?

הירייה קורעת את עור התוף שלך ומותירה אחריה דממה מאיימת, יותר מדממה - חוסר צליל מוחלט. את מבינה שהמסך האדום העוטף את שדה־הראייה שלך מייצג את דמך־את. משהו נותר ממך, את מבינה, אולם הוא נמצא במקום אחר: ישנן גם האת שחוסלה, וגם משהו זערורי נוסף. זהו שבר־זהות רוטט של מחשבות תת־אנושיות במקום סמוך - פרודיה על מוח, קריקטורה מסואבת, אינוולידית, מכאנית של רוח, שעדיין תובעת לעצמה את זהותך. אבל אפילו המכונה הפתטית הזו נישאה ממך, עליונה ביחס אלייך, מה שאומר שיש אפילו את שלישית, חיידקית ועלובה עוד יותר.

האם הוא ירה בעצמו? ההיסטוריה אומרת שכן, אבל להיסטוריה אין אחיזה במקומות כגון זה. ברגעים כאלה בוגדנות, חשד וטינה מגלים כושר הסתגלות טוב יותר. האם גם הוא עובר את הטקס המשפיל הזה?

Before he shoots you he presses his lips to yours with the vengeance of despair, his hand gripping your scalp forcefully from behind. His lips are so dry they seem to sip and suck and drain the liquids of your whole body. There's an unpleasant smell in the air, probably urine – but you would rather not know. He points the barrel at your forehead.

You want to shut your eyes tight, but your eyelids disobey. You stare at him, transfixed. What is it that you see? How much love can a womb doomed to remain barren retain?

The shot blasts your eardrums, leaving behind an eerie silence, more than silence – soundlessness. You presume that the red screen enveloping your field of vision stands for your own blood. There is something left of you, you realize, but it is somewhere else: there are both the you that has been terminated, and an impish something else. It is a shred of consciousness quivering with sub-human thoughts somewhere nearby – a travesty of a mind, a nasty, invalid, mechanical caricature of a mind, still claiming your identity. But even that pathetic machine is beyond you, superior to you, which means there is a third you, even more puny and dismal.

Did he shoot himself? History says he did – but history suffocates in places like this, whereas betrayal and suspicion seem adept. Is he going through this humiliating rite as well?

סצינה 8: כנפי מלאך / Scene 8: Angel's Wings

היית מאמינה? את ממש עפה! השיגיונות הילדותיים על האיש המת המרוקן את עצמו מתוך גופו היו כמעט אמיתיים! המְראה, מרכבות־כרובים, אלוהים בשמים, טיסה. רק שהתחושה הזו, של היות קל יותר, של הסתחררות באוויר במסלול של מלאכים, היא מאוד מאוד לא נעימה. מהפיכתך לחסרת־משקל וחסרת־צורה לא השתמע שתהיי אוורירית, קורנת, גמישה. לעומת זאת, את מרגישה שהחומריות שלך מדוללת עד כי אפילו הגז הקל ביותר מפעיל עלייך לחץ עצום. חיכוך קטן בלבד הופך כל חפץ בגודל ראש־סיכה למכונת־עינויים שטנית. אמת, ייתכן שכבר אין ברשותך גוף במובן החי, אולם כל הכבלים, המהלומות והפגעים הכרוכים בגוף ממטירים עצמם על היישות הפצפונת, הממוסמסת והאובדת שהפכת להיות.

את מובלת דרך האוויר במהירות כמו כלב ברצועה. זהו חנק מעבר לחנק, סבל המגדיל לעשות מסבל. את עפה באוויר במהירות מעוררת בחילה, מודעת כל הזמן לגירוי־העור שלך, המתקיים על אף העובדה שאין לך עור, שהרחמים העצמיים שלך אמיתיים למרות שאין לך עצמיות, שאפילו מבושייך, שאינם קיימים, בוערים בכאב ובתשוקה למין.

את רוצה שהמלאכים ינחמו אותך, שידברו אליך, שיציגו את עצמם - אחרי הכול את רק ילדה, לגמרי לבדה, בלי אמא, בלי ידיד, בלי מאהב. מעל הגגות את נעה ונעה, עד שאת צוללת לפתע - אל תוך תחנת הרכבת במילאנו.

Would you believe it? You are actually flying! The childish renderings of the dead person leaving its body were almost true! Ascendance, chariots of cherubs, flight. Only the sensation, that of being lighter, of twirling through the air in an angelic path, is extremely unpleasant. Becoming weightless and formless did not mean being airy, glowing, flexible. Rather, you feel as if your consistency is so diluted that the lightest gas applies a tremendous pressure on you. Mere friction turns every object the size of a pinhead into a demonic torture machine. True, you may no longer possess a body in the living sense, but all the constraints, pangs and throes inflict themselves on that wasted, tiny entity you have become.

You are being swiftly led through the air like a dog on a leash. It is suffocation beyond suffocation. Suffering outdoing suffering. You fly in the air at a nauseating speed, realizing all the while that your skin-rash exists even though you have no skin, that your self-pity is real although you possess no self, that even your genitalia, non-existent, are burning with pain and thirst for sex.

You want the angels to console you, to speak to you, to introduce themselves – after all, you are only a child, all alone, no mother, no friend, no lover. Over the roof-tops you go and go, until you dive suddenly – into the train station in Milan.

פרט לשפם ענקי וכוכב דש אדום קטן אינו מזהה את גוש החומר הגוצי, המלוכלך, המעוטר בשתי עיני זכוכית שחורות מתקלפות ובשתי מחילות גדולות כנחיריים, שזה הנהו, מכל האדם, סטאלין. לא רחוק מניל ארמסטרונג, האסטרונאוט המזוהם ומעלה־העובש, עומד קהל גדול עד־להפתיע של אפיפיורים ובישופים, לבושי קטיפה מדומה מרופטת, הנבדלים זה מזה בעיקר בגודל גופם ובחלוקת שער־הפנים הסינתטי.

ואז את ניצבת אל מול תצוגת ה־tableau vivant שבגללה הובאת הנה. זוהי הנצחה של אדולף ושלך, מתאבדים. הבונקר נראה כמו מחסן נטוש, הקישוט היחיד בו הוא דגל אקריליק של צלב־קרס אדום. בעורמה ממולחת פתר האומן את הבעיות שהציב בפניו הצורך ליצור את דמותך: את שרועה על הרצפה, על בטנך, ושערך מכסה את פניך לגמרי, ורק רקה אחת חשופה בהבלטה ועליה מודבקת פיסת דם מחומר צמיגי. שדייך הקשים כאבן פוגשים את הרצפה בלי לאבד כלל את צורתם החרוטית, עובדה הגורמת לגופתך להיראות כמו מרחפת מעט למעלה מהרצפה. אדולף עצמו אוחז עדיין באקדח. גם פניו מוסתרות, שקועות בין זרועותיו על משטח השולחן שעליו קרס, וגם כאן יש מסמן זהות - משום שהשפם וקצה האף בולטים מעט מעל מרפקו כמו שריד קדוש חבוק בכרית. הסצנה מונפשת באמצעות נורה אדומה קטנה המהב־הבת על טלפון הפלסטיק ליד ראשו של אדולף, כאילו הופעלה אזעקה.

תגובתך הראשונה היא השתאות. הרי בתודעת אויביו (וכולם, כולם אויביו) הוא נחקק כמפלצת לא־אנושית. ומכל ההוד הנורא של הקריירה שלו הם בחרו דווקא ברגע הזה, שחייב להעציב אף את האכזרי שבקרבנות.

או אז מתעורר הכעס הפראי שלך. את מבינה שכל אדם שפוי יפרוץ בצחוק לנוכח המראה התפלצתי, הפרוורטי הזה. את מבינה שתשוקות פורנוגרפיות באות על סיפוקן באמצעות הצד הקומי של האסון שלך. את מבינה שהסצנה שלך היא נזר המוזיאון ופסגת הישגיו המסואבים, ושבבובות האיומות הללו יש אכן רוח־חיים, והן נאנסות ומושמות ללעג בו־זמנית.

אז מגיעה הבְּעָתָה העמוקה שלך. זו בוודאי אמורה להיות זיעה, הדבר שניגר על המשהו שהוא את.

מדוע יגזרו הכוחות השמימיים שתבקרי במוזיאון שעווה מרופט בתחנת־רכבת בדרכך אל החיים שלאחר המוות? חלונות החזית דומים לאלו של חנות מין, מכוסים בכרזות ענקיות המסתירות לחלוטין את פנים החלל ובו־בזמן מכריזות בקולי־קולות על התענוגות המובטחים בפנים. דומה שאחדים מדברי ההלל האלו תוכננו כדי ללעוג לך. האם היה זה השטן עצמו שחרט על שערי ביתן השעשועים המאובק הזה משפטים כגון "חוויה שיש רק פעם בחיים", משום שידע שחייך כבר הסתיימו? והאם את צריכה לקבל כעלבון אישי את העובדה שהבובות המתות הללו מתוארות במילים "כמו בחיים"?

משאת מוצאת עצמך בפנים, נסחפת בין קופסאות וחדרי התצוגה המוארים במעומעם, את מבינה שזהו, קרוב לוודאי, מוזיאון השעווה הגרוע ביותר בעולם. טינופת וזוהמה מכסים כל פריט במסדרונות הצרים והאפלים ובאפיזודות הפתטיות המוצגות. בעלי־המלאכה היו בוודאי ציניקנים! היתה בוודאי כוונה מרושעת מאחורי התצוגות האכזריות והפגומות האלו! קבוצה של נשיאים אמריקניים דחוסה יחד, כולם מחייכים חיוכים מבועתים, כולם צפודים בחליפות שאת מזהה את חוסר האופנתיות שלהן, חליפות משנות השבעים. שער הקש של ג'ימי קרטר מתארך הרבה מעבר לאוזניו; הוא רזה כמו קרבן, וחיוכו החיוור נראה שחפני למרות השכבה העבה של ליפסטיק בגוון ארגמן. רונלד רייגן דומה לרוק האדסון הגוסס. שום דבר

Why would the heavenly powers ordain that you would visit a ragged wax museum in a train station on your way to the afterlife? The display windows, like those of sex shops, are covered with gigantic posters entirely concealing the space within while proclaiming its promised pleasures. Some of the superlatives seem designed to mock you. Was it Satan who inscribed the dusty fun house with phrases like Once in a Lifetime Experience, *knowing that your life is over? And should calling those dead dolls* Lifelike *be taken as a personal offense?*

Once inside, swept through the dimly-lit display cases and rooms, you realize that this is probably the worst wax museum in the world. Scum and filth are all over the narrow, dark corridor and the pathetic tableaux. The artisans must have been cynical! There must have been a vicious intent behind these cruel, ill-conceived depictions! A group of American presidents stand crammed together, smiling, seemingly in horror, all shrouded in suits you recognize as old fashioned, from the seventies. Jimmy Carter's straw-hair flows well over his ears. He is as thin as a

victim, and his pale smile looks tubercular despite the thick layer of crimson lipstick. Ronald Reagan looks like Rock Hudson, dying. Nothing but a gigantic mustache and a little lapel red star identify the stout, grotesque lump of dirty matter, endowed with flaking black glass eyes and two coarse cavities for nostrils, as, of all men, Stalin. Next to filthy Neil Armstrong there's an extraordinarily big crowd of Popes and bishops, all clad in frayed faux velvets, mostly distinguished from one another by body bulk and the distribution of synthetic facial hair.

And then you face the tableau vivant *you were brought here for. It is a depiction of you and Adolf, committing suicide. The bunker looks like a deserted depot, its only decoration a red swastika flag made of shiny acrylic. The craftsman cunningly solved the problem of creating your likeness: you languish on the floor, on your stomach, limbs outstretched, your hair covering your face entirely, save for one carefully exposed temple with rubbery blood patched on. Your breasts, stiff as stone, meet the floor without surrendering their cone shape, a fact* that makes the rest of your corpse seem to hover slightly above the surface. Adolf himself is still holding the gun. His face is hidden as well, sunk between his arms on the desk on which he collapsed. And there is an indication of identity as well – for the mustache and the tip of his nose protrude above his elbow like a relic cradled in a cushion. The scene is animated by a little red blinking light on the plastic phone next to Adolf's head, as if an alarm had been set off.

Your first reaction is bewilderment. Of all his majestic career, he who is stamped in the consciousness of his enemies and everyone is his enemy) as the most heartless of the heartess, as an inhuman monster, they chose just this moment, that must leave even the cruelest victims saddened.

Then comes your wild anger. You understand that anyone in his right mind would burst out laughing at the freakish sight. You realize that a pornographic desire is satiated through the comic quality of your disaster. You understand that your tableau crowns the museum, that those awful dolls do indeed possess life, and that they are being raped and jeered at simultaneously.

Then comes your deep trepidation. It must be sweat that is pouring over the something that you are.

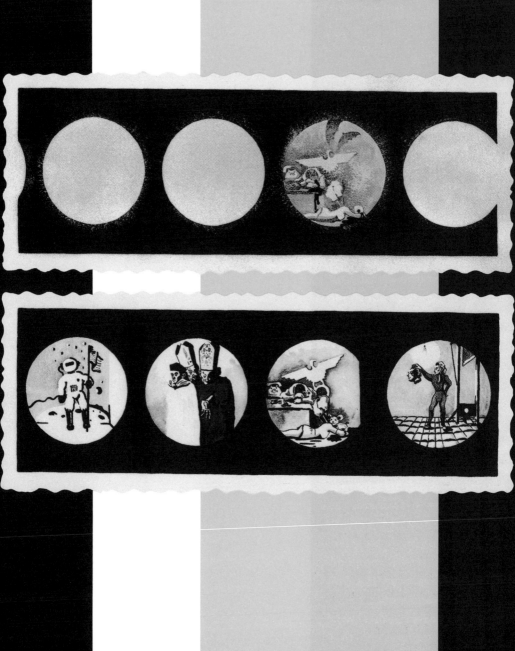

סצינה 10: המְתנה / Scene 10: The Wait

אין ספק, את מובלת אל הגיהינום, אבל למה?

בעודך ממתינה לעינוייך, את צופה באחדים מן הנידונים האחרים. מרתקת אותך במיוחד קבוצה של אנשים דו־ממדיים התלויים באבריהם החוטאים - שיער, מבושים, שדיים, לשונות.

את מבינה מתוך נרגנות מסוימת שהגיהינום, כפי שמסתבר, מבוסס על ציור מפורסם.

איך תיתלי את? מה ממך ייחתך, ייגדם, יישרף? מה מתוך השלמות הנלהטת שלך, מה מחייך שהוקדשו לעבדות־מרצון, מה מההרמוניה השקטה שלך, מה מכל אלו יוענש ויוקע לנצח?

דלת נפתחת. זהו הירוהישו, המסז'יסט הקוריאני הענק. שכב על גבך. עצום את עיניך. שאב הנאה מקצות אצבעותיו הנפלאות הלשות בגבך. רוקן את ראשך. חוש ברטטים הנעימים. הירגע. הגיהינום מזויף. הירוהישו אמיתי. שום נזק לא נגרם. אתה - אתה. נשמח לראותך שנית.

There's no question, you are being led to hell – but why?

As you wait for your tortures to be set, you view some of the other sinners. Particularly arresting is a group of two-dimensional people hanged by their sinning organs – hair, genitalia, breasts, tongues.

You realize with some dismay that hell seems to be based on a famous painting.

How would you be hanged? What of you should be minced, sliced, burnt? What, in your eager perfection, in your life dedicated to willful servitude, in your quiet harmony, is eternally punishable and damned?

A door opens. It's Hirrohisho, the huge Korean masseur. Lie back, close your eyes, enjoy his wonderful fingers on your back, empty your mind, feel the pleasant sensations, relax. Hell is fake, Hirrohisho is real. No harm was meant. You are you. Please come again.

Supplements to the Artist's Book

Foreword

Roger Rothman: Mourning and Mania

Biographical Notes

Foreword

Unlike other domains of Israeli culture, Israeli art has for many years refrained from giving direct visual expression to the trauma of the Holocaust. This phenomenon was perceived by some art scholars as a "taboo of the arts." In 1980, Moshe Gershoni tried to break this taboo with two installations (shown at the Venice Biennale and at the Tel Aviv Museum of Art), in which he incorporated symbols of the victim and the hangman. For Roee Rosen, these works marked a dramatic turning point; in his words, they transformed the "invisibility of the trauma into something visible." Roee Rosen has taken one more step in the struggle with the trauma of the Holocaust and its "visibility." Combined with his own personal iconography, the images, symbols, and other elements in his works deal directly with the Holocaust, Nazism, and German culture.

The texts that accompany Rosen's works offer a virtual-reality scenario through which the viewer is invited to experience scenes from the life of Eva Braun, Hitler's mistress. Yet Rosen does not present the Holocaust as such, but rather as a memory. In his works, the Holocaust is made visible from a temporal and spatial distance, and is thus transformed from a fresh, vivid traumatic experience into a traumatic memory. As a young Israeli artist, Rosen raises questions about the meaning of this memory in our consciousness – and first and foremost, in his own. His treatment of these questions is very personal and emotional: he brings to the surface the impossible, the uncomfortable, the pain, the horror, and the violence, and examines the way in which they infiltrate into his consciousness and become a part of it.

For the Israel Museum, the opportunity to show Rosen's work exemplifies the Museum's continuing commitment to allow younger artists in Israel to grapple with the difficult subject of the Holocaust – particularly as their contemporary experience becomes increasingly remote from the actual experience of the Holocaust itself. Exhibitions such as these reflect the Museum's recognition of the importance of presenting contemporary Israeli art in all its shades, and of the sensitivity and difficulty of many of the subject matters which Israeli artists feel they must address.

The exhibition and artist's book were made possible by a grant from the Nathan Cummings Foundation, New York, secured by Beatrice Cummings Mayer, Chicago. We are deeply grateful to both for sharing our commitment to contemporary Israeli art

Meira Perry-Lehmann
Acting Chief Curator of the Arts

Mourning and Mania

Roee Rosen's *Live and Die as Eva Braun*

Roger Rothman

Live and Die as Eva Braun is comprised of a brief text and sixty black-and-white works on paper. In exhibition, the text is printed in white letters on black, column-like strips which run from floor to ceiling. The paintings, clustered in a salon-like fashion, hang between each of the text-columns.

The text, divided into ten discrete "scenes," presents itself as an incongruous advertisement brochure. Written in the second person, it purports to offer its prospective client an unlikely entertainment experience: to become, by means of virtual-reality, Hitler's mistress. The following VR scenario is described: the viewer transforms into Eva Braun, experiences moments of romantic intimacy with the dictator, commits suicide, and then takes a short trip to hell.

Whereas the text guides the viewer from one event to the next, the paintings do not follow a linear narrative. Instead, they present a delirious array of images, and draw from a multiplicity of sources. Altogether, the project aims to address the memory of the Holocaust in a bizarre, perhaps even obscene, manner. It seems to insist that we identify not with the victims of the extermination camps, but with the victimizers. Instead of horror we are given humor. In place of morbidity we find sexuality. In almost every way, *Live and Die as Eva Braun* presents us with an act of memorialization that seems to have been turned inside out.

I.
Memorials and Melancholy

In 1986, Primo Levi put forth, in the simplest terms, the fundamental predicament faced by those who take it upon themselves to memorialize the Holocaust.

> On many occasions, we survivors of the Nazi concentration camps have come to notice how little use words are in describing our experiences... In all our accounts, verbal or written, one finds expressions such as "indescribable," "inexpressible," "words are not enough...." This was, in fact, our daily thought [in the camps]: that if we came back home and wanted to tell, we would be missing the words.[1]

If for a survivor the experience was "inexpressible," then the problem is doubled for those of us who did not endure it. How are we to memorialize this event? How do we express an experience that even the survivor finds inexpressible? This is the paradox that confronts all creators of Holocaust memorials. Without facing up to this impossible predicament, without acknowledging the inevitable failure to express what was not experienced, the memorialist faces a far graver danger – that of vulgarizing the event. This amounts to the recognition (still unheeded in some of the most visible quarters) that memorials which claim to express the experience are, by definition, corrupt. Thus, since no expression can hope to identify with the experience, all respectful Holocaust memorials struggle to place themselves in the impossible space between these two mutually exclusive postures: between expression and identification. One cannot have both. It is here as well that Roee Rosen's *Live and Die as Eva Braun* struggles to place itself.

But its placement within the context of mainstream memorials is clearly unique. And, thus, although Rosen's project treats a number of complex issues, it seems to me that the theme most in need of elaboration at this moment is the aspect of the project that addresses itself to the question of mourning and memorializing the Holocaust. To do so, we will have to situate *Live and Die* within the context of recent memorials.

When we look at the history of Holo-

---

[1]   Primo Levi, "Revisiting the Camps," in *The Art of Memory: Holocaust Memorials in History*, edited by James E. Young (New York: Prestel-Verlag, 1994), p. 185.

caust memorials, we find, with great consistency, a considerable respect for the claim of unspeakability put forth by those like Levi. In fact, it is this respect alone that unites the vast array of recent monuments.

Consider, first, the *Monument Against Fascism* by Esther and Jochen Gerz. In 1987 the artists erected a twelve-meter high, four-sided column in the center of Harburg, Germany. Residents and visitors were invited to scratch whatever they wished into the soft, lead-covered surface of the steel monument. After some time, the "defaced" portion of the column was lowered into the ground, thereby silencing the inscribed words and images and replacing them with a newly pristine surface of lead. This process of scratching and lowering was performed seven more times, until the monument was sunk entirely underground. No longer visible at all, the monument will forever register the now mute identification of those who passed by it and deposited something of themselves onto its surface.

A similarly mute monument appears on the low hill at Yad Vashem: *The Children's Memorial*, created in 1987 by Moshe Safdie Architects, Ltd. The grid of four-sided columns of Jerusalem stone stand in silent identification with the children who were cut down before reaching maturity (the stones identify themselves with children in being of unequal height and rough-hewn at their tops – where we would expect to find finished capitals, we find instead the trace of an absence). Here, as with the *Monument Against Fascism*, the memorial presents us with mute identification, the remains of an experience without an expression.[2]

A third example comes from the United States Holocaust Memorial in Washington, D.C. As designed by the principal architect of the museum, James Ingo Freed, the heart of the building (as well as the final site explored by the museum's

---

[2] The use of the grid is probably the most frequent form taken by recent Holocaust monuments. If I had the room I could cite many more, of which one of the most paradigmatic is Sol Lewitt's *Memorial to the Missing Jews*, erected in 1989 in the Platz der Republik, in Hamburg-Altona, Germany. Here, a black wall of faux-concrete bricks blocks the view and direct access to the square's most prominent building. Both in its form and position, Lewitt's monument manufactures blindness, promotes silence. For an account of the grid's particular propensity toward silence – a propensity that we can now understand as well-suited for use by Holocaust memorials – see Rosalind Krauss, "Grids," in *The Originality of the Avant-Garde and Other Modernist Myths* (Cambridge: MIT Press, 1985), pp. 8–22.

visitors) is configured as an enormous empty space, framed on its six sides by a double row of wax candles. Again, the structure is coordinated around expressionlessness and repetition.[3]

A complete account of such memorials would be long. It would include the vast empty space devoted to the memory of the Holocaust in Daniel Libeskind's architectural plan for the "Extension of the Berlin Museum with the Jewish Museum Department," and the unbuilt proposal by Louis Kahn (a grid of six cubes for the six million killed), as well as works such as the *"Negative-Form" Monument to the Aschrott-Brunnen*, 1987, by Horst Hoheisel, a sculpture that reads as non-existent from the town square.

The unifying feature of these monuments should be clear by now: the primary *injunction*, "Never forget," is enacted with regard to the primary proscription, "the experience is inexpressible," by adopting the following position-of-memorialization: *Identify without Expression.* Build the blank monument. Of course, strictly speaking, like any other utterance, blankness is an expression. Yet blankness is unique in that it offers an empty space meant to be filled with the viewer's own self-projection – in other words, an expression of its own will to silence. The principal philosopher of this position-of-memorialization is Theodore Adorno, who, in what is probably his most well-known claim, insisted that in the face of the Holocaust only silence is appropriate. That Adorno later became frustrated with this position is a sign of the impossible bind placed upon those who insist on responding to both the injunction and the proscription that frame our modes of remembrance. (How much more satisfying it would be to ignore one or the other...)

What we find when we think of these memorials in terms of their unifying attributes – when we highlight the connections between the manifest will-to-silence, the propensity for blank identification, the inclination toward endless repetition, and, in those who have reflected upon the paradox of this position, a sense of frustration that accompanies such gestures – is that this predicament, this paradox, has a clear and articulate correlate in the field of psychoanalysis. That correlate is *melancholy.*

---

3   See the comments by Freed on his desire to maintain a sense of inexpressibility through the use of "ambiguity," and even "banality" in the museum's various components. *The Art of Memory: Holocaust Memorials in History* (see above, n. 1), pp. 89–101.

In "Mourning and Melancholia,"[4] Freud presented the two as typical responses to the loss of a loved object. Both responses exhibit nearly identical emotions: "painful dejection, cessation of interest in the outside world, loss of the capacity to love, inhibition of all activity." The only difference between normal mourning and pathological melancholy is that the latter also experiences "a lowering of the self-regarding feeling to a degree that finds utterance in self-reproaches and self-revilings, and culminates in a delusional expectation of punishment." Subsequent analysts and physicians have come to see the dividing line between mourning and melancholy as less sharply distinguished; today, melancholy is seen as a particular *moment* within the mourning process. In other words, it makes sense to bypass Freud's pathologization of melancholy and speak instead of the condition in a neutrally descriptive manner. Melancholic-mourning is that form of mourning which manifests a composite of emotions, including painful dejection, loss of interest in the outside world, a loss of a capacity to love (to *feel*), and lack of activity on the part of the mourner.

With Freud's description in mind, we find that melancholia closely resembles the position taken by mainstream memorials. The lack of affect implied in the blank grid, the evocation of painful dejection, the will-to-silence that serves to sever our relations with the world outside, as well as the drive for a kind of self-punishment – all these components lead us to figure the discourse of mainstream Holocaust memorialization as determined by the position-of-mourning defined by melancholia. In other words, it is through the melancholic position that Holocaust memorials have found a way to follow both the injunction to remember and the condition that this remembrance must respect the inexpressibility of the experience.

II.
The Manic Memorial

So where does this leave us with respect to the project under discussion here? How is it that *Live and Die as Eva Braun* relates the memorials above, for surely it exhibits little in the way of melancholy? Indeed, at first glance we seem to be faced with an utterly inverted memorial: where main-

4   Sigmund Freud, "Mourning and Melancholia," [1917] in *The Standard Edition of the Complete Works of Sigmund Freud*, translated and edited by James Strachey, vol. 14 (1947), pp. 243–58.

stream memorials identify with the victims, Rosen has us identify with the victimizers; where the mainstream memorials forgo expression, here we have something hyper-expressive. Where the former are austere and reserved, the latter is obscenely excessive. Indeed, at the very core of the text's scenario (the fifth scene, right in the middle of our travel-through-Eva) we are actors in a pornographic film. This inversion of the position-of-mourning is manifest as well in the very structure of the paintings' display: by alluding to and yet resisting the expected grid-format, the work signals its inverted relation to the mute identification of mainstream modernist memorials. Instead of regular repetition, the paintings of *Live and Die* employ a wide range of images and associations, from appropriations of Nazi propaganda to the artist's own family photos. And although the paintings are united in being limited to black, white, and gray, they employ a number of different techniques and recall a variety of historical styles, from the meticulously prepared to the childishly scribbled, from the simple line-drawings of amateur illustrators to the fine details of complex surface patterns.

In all, *Live and Die* seems to resemble everything that a legitimate act of memorialization is not. In fact, in some of its most conspicuous features, it calls to mind what is probably the most prominent memorial of this century – Picasso's *Guernica* – only to disavow this connection at the very same moment. Both works restrict themselves to black and white, but whereas *Guernica*'s self-imposed limitation serves to suggest classical restraint and moral authority, there is something ironic, if not gratuitous, about *Live and Die*'s colorisitic stricture: by referring to banal family photos, outmoded, monochrome computer screens, and mass-produced illustrations and cartoons, Rosen's use of black and white leads us about as far from classical rectitude and moral authority as one can imagine. Another crucial distinction between these two works concerns their expressiveness. In *Guernica,* grief, pain and death are visible on the painting's uppermost surface, and these emotions are presented as direct and sincere. In *Live and Die*, all expression is diverted, inverted, travestied, tickled and ironized; we glimpse grief and pain only indirectly. Where *Guernica* is made of riven images, individual fragments united within the frame of the canvas, *Live and Die* works with individual unities taken from other sources only to make them fragmented and dispersed along the wall. And whereas Picasso's project seems to have aimed at a cathartic release of emotion, Rosen's work insists that no such catharsis is possible.

Having detailed the most conspicuous ways in which *Live and Die* presents itself as an inversion of mainstream memorials we can return to Freud's text to make more sense of its anti-melancholic position. Although Freud chose to title his study "Mourning and Melancholia," he could well have titled it "Mourning, Melancholia and *Mania*," for it was clear to him that all three belong to the same complex of emotions, all three stem from the same experience of loss and grief. In fact, near the close of the essay, Freud insists: "the content of mania is no different from that of melancholia... [both] are wrestling with the same 'complex.'" Moreover, the "tendency of melancholia to change round into mania – a state which is the opposite of it in its symptoms," was for Freud, "the most remarkable characteristic of melancholia."[5] With this observation we find the means to understand the peculiar components of *Live and Die*. It reengages the act of mourning at the moment when the melancholic position "changes round into mania," which nonetheless "wrestles with the same complex."

With mania thus understood as the paradoxical complement to the mainstream melancholic position we can now lay bare the consequences of adopting one or the other. Where melancholy produces silence, mania produces loquaciousness. Where the former presents itself through repetition, the latter manifests itself through wild flights of incompatible notions and actions. Where melancholy is non-expressive, mania is ironic. Where one is the response of an identification without expression, the other is the response of an expression without identification. We can tabulate the distinctions between the two positions in the following way:

---

[5]   Ibid., p. 253.

Melancholic	Manic
Identification without Expression	Expression without Identification
Necessary but Insufficient	Sufficient but Excessive
Motionless	Hyperactive
Mute	Chattering
Depressed	Giddy
Anti-social	Gregarious
Non-expressive (directionless)	Ironic (indirect)
Non-sense	Absurdity
Leads to Repetition	Leads to Delirium
Accepts Frustration	Accepts Obscenity

(This last distinction is perhaps the most provocative; we will approach it at the end of this essay.)

————

In rejecting the will-to-silence of the melancholic position, *Live and Die* adopts in its stead the gregarious, ironic, absurd, excessive, obscene position we understand as characteristic of mania. This is the position that insists upon *expression,* but knows full well that its expression is in no way an *identification.* Rosen's work responds to the need for memorialization, but does so "from the other side," something like the way in which Alice sees the world from the other side of the looking glass. From this other side, the grief is real even while the experience itself is virtual. Hence *Live and Die*'s subtitle: "An Illustrated Proposal for a Virtual-Reality Scenario Not to Be Realized."

The scenario takes place in a bunker, underground – a fitting site. We are forced below ground, in a maze where nocturnal animals dwell (rats most prominently). Under ground we live in an artificial world. Our light is electric, our living quarters are cell-like. Our internal clocks, which, above ground, guide us between wakefulness and sleep, are now subject to manipulation and artificiality. We are led to the core of the bunker through a labyrinth of swastika-shaped tunnels. Our identification with the victimizers is drummed into us as we march downward and away from the death that piles up above us. Like a figure in a dream, the bunker is a condensation of a number of images. To mention only some of its connotations, the bunker may stand for: (1) that part of us which lies buried beneath the light of reason, the part of us that is invisible even to ourselves; (2) the past, buried beneath the accretions of history; (3) the site of the repressed, of that which is too painful to expose to the light of day, that which we can neither live with nor do without; (4) a figure of individual and collective development (the underground is the primitive, the primal. To go down into the bunker is to regress); (5) a burial site, the plane of death, of absolute loss.

Thus, the bunker is an "impossible" locus; it cannot be made single, whole, uncontradictory. But if the bunker is our first confrontation with the "impossible" – the manic figure in which a field of non-rationally coordinated images and referents collide – it is only the first. There are many more that populate the images of *Live and Die as Eva Braun.* We find other such figures in the twisted appropriation of German Romantic landscape painting (the pissing mountain symbolizes a revolt of the land against its abuse as *Heimat* [homeland], even as it serves as a twisted illustration of a sex scene between the lovers). We find it as well in the delirium of images that take us through nightmarish German children's illustrations (*Max and Moritz, Red Riding Hood* and more), Japanese pornography (Utamaro), Nazi art and emblems (by Arno Brecker and others), esoteric Christian imagery, family photos laboriously translated into paint, to the obsessively produced panoply of decorative designs. And we find it in the text as well – in Scene 4, for example:

> You lie on your side, your eyes open. Adolf's back is heaving in front of you. The bluish-white, bespeckled skin is covered with thick, black hairs, stemming and streaming with haunting regularity, like trees in a man-made forest. In between the trees the ground is covered with pink crannies, brown mushrooms, bushes and pores, and all of this magnificent turf is rising and falling rhythmically, slowly.

The false power that is characteristic of the manic position – the false sense that one has overcome the loss – appears in *Live and Die* as well. As our VR experience concludes in Scene 10, the delirium fades under the grip of a benign pair of masseur's hands: "Hell is fake, Hirro-hisho [the masseur] is real. No harm was meant. You are you. Please come again."

But of all the figures of mania at work in *Live and Die*, there is one that floats above the rest: it is the little mustache that Hitler wore and that appears almost everywhere throughout the paintings: gracing a childhood photo of the artist as a toddler, beneath the button-nose of a cuddly teddy bear, on the smiling faces of dancing sunflowers, as well as on the various portraits of bats, cats and household utensils. Like the bunker, the mustache is a multiple cipher. It is the condensation of a mass of incommensurate components. As it migrates from face to face, it recalls the wild flights of thought and action that are characteristic of mania. It is a sign of the delirium of the mourner who has lost contact with the "real" world – now all things remind him of the lost object. Everything has Hitler's mustache. All things have the same face. And yet the mustache also signals something quite different. It stands as a primal means of negation, a wild cry of "No" against a crime for which no greater articulation makes sense. It is also an act of childish defacement, impotent, like the plea which comes too late, is too weak to be heard, too frail to effect change. And it is also something altogether different: as it stands out against the pristine surface in which it is superimposed, the rapidly scrawled mustache functions as the expressive stroke of the modern artist, a sign of artistic presence. And yet it is also *not* the sign of the presence of the artist, but of modernist painting, of the discourse into which all painters are indoctrinated: it is an utterly conventional and therefore *im*personal sign. It is the sign of abstraction, of painterliness, of the flat surface of post-cubist painting. With this last association, the floating mustache seems to assert that no "true" language exists in which to mourn the Holocaust. For we are *taught* how to mourn, just as we are taught how to paint. There is nothing "real" or "natural" about it. The language of our mourning is not our own, it is given to us. This is perhaps the most repugnant of all the implications of *Live and Die*. Our mourning is clichéd. It is not real. It is virtual. It is a game. A game we know how to play well by now. We are good at it and we know it. And we teach it to others so they will be good at it, too. This is the "obscene" aspect of Rosen's work. But it is also the obscene aspect of Holocaust mourning, an aspect all-too-often ignored or suppressed in mainstream memorials.

III.
Risking the Obscene

In reflecting on *Shoa*, Claude Lanzmann remarked: "It is enough to formulate the question in the simplest terms, to ask, 'Why were the Jews killed?' The question immediately reveals its obscenity. There is really an absolute obscenity in the project of understanding. Not to understand was my iron law during all the years of the elaboration and the production of *Shoa*."[6]

This injunction against the "obscenity" of understanding is one that will not hold. We cannot avoid the struggle to understand. And thus, we cannot avoid the obscenity that is the consequence of this task. To submit to Lanzmann's "iron law" – to repress the obscene – is to repress the conditions in which we continue to mourn. There is no resolving this riven state. In *Live and Die*, obscenity appears in a multiplicity of figures – in pornography, in humor, in elation, in identification with the victimizer. And like the underground bunker, the migrating mustache, the obscene is a multiple cipher. It is the figure of the obscenity that was the Holocaust, the obscenity that drives the desire to make sense of this event, and finally, the obscenity that is the never-ending work of mourning. Never Forget – an obscene injunction.

Now, a half-century after the Holocaust, we are no longer ignorant of the paradoxes involved in mourning and memorializing it; what *Live and Die as Eva Braun* insists is that we no longer ignore the consequences of these paradoxes. To do so would only be to replace one obscenity with another.

6   Claude Lanzmann, "Hier ist kein Warum," in *Au sujet de Shoa: le film de Claude Lanzmann* (Paris: Belin, 1990), p. 279. Cited in translation in Michael S. Roth, *The Ironist's Cage: Memory, Trauma, and the Construction of History* (New York: Columbia University Press, 1995), p. 209.

Biographical Notes

1963 – Born in Rehovot, Israel
1984 – Studied Philosophy and
Comparative Literature,
Tel Aviv University
1989 – BFA, School of Visual Arts,
New York
1991 – MFA, Hunter College, New York
1997 – Winner of the Ministry of
Education and Culture Prize for
the Encouragement of Artists in
the Fields of Plastic Arts and
Design
Since 1992 – Writes regularly for *Studio*
Art Magazine
Since 1995 – Teaches at Beit Berl College
School of Art and Camera Obscura
School of Art

Solo Exhibitions

1986 – Sharet Gallery, Givataim, Israel
1988 – School of Visual Arts Gallery,
New York
1991 – *Happy Painting*, Hunter Gallery,
New York
1992 – *The Blind Merchant*,
Bograshov Gallery, Tel Aviv
1995 – *Martyr Paintings*, The Museum of
Israeli Art, Ramat Gan
1996 – *Professionals*, The Artist's Studios,
Tel Aviv

Selected Group Exhibitions

1985 – *Sir-Lahatz* (Pressure Cooker),
Jerusalem Theater
1987 – NYU Annual Small Work
Exhibition, New York

1989 – *Markings*, New York
– *Reconsidering Bodies, Reconfiguring*
Selves, Hunter Gallery, New York
1994 – *Petty Schemes & Grand Designs*,
319 Grand, New York
– *Anxiety*, The Museum of Israeli Art,
Ramat Gan
1995 – *Shades of Sexual Identity*, The Artists
House, Jerusalem
1997 – *HaMidrashah*, The Museum of
Israeli Art, Ramat Gan
– *I/Zkur*, Ami Steinitz Contemporary
Art, Tel Aviv

Artist's Books

1986 – *The Education of a Marginal Saint*
1991 – *The Blind Merchant*
1992 – *Lucy*

Selected Bibliography

1986 – Hezy Leskly, "Rosen's
Lautréamont," *Ha'Ir*, Tel Aviv
1991 – Naomi Siman-Tov, "The Trauma
of *The Blind Merchant*," *Ha'Ir*,
Tel Aviv
1992 – Levia Stern, "Roee Rosen's *Blind*
Merchant," *Studio* 30, Tel Aviv
1994 – Naomi Siman-Tov, "Roee Rosen's
Holy Scriptures, an Interview,"
Ha'Ir, Tel Aviv
– Roberto Maria Dainotto, Edna
Goldstaub-Dainotto, *Roee Rosen's*
Martyr Paintings, exh. cat., Museum
of Israeli Art, Ramat Gan
1996 – Esther Dotan, "Roee Rosen's
Professionals," *Studio* 77, Tel Aviv
1997 – Dan Daor, "Roee Rosen's
Professionals," *Studio* 79

ביוגרפיה

1963 – נולד ברחובות

1984 – למד פילוסופיה וספרות השוואתית, אוניברסיטת תל־אביב

1989 – בוגר בלימודי אמנות, בית־הספר לאמנויות חזותיות, ניו־יורק

1991 – מוסמך בלימודי אמנות, האנטר קולג׳, ניו־יורק

1997 – זכה בפרס לעידוד היצירה בתחומי האמנויות הפלסטיות והעיצוב מטעם משרד החינוך והתרבות

החל מ־1992 – מפרסם מאמרים בכתב־העת לאמנות ״סטודיו״

החל מ־1995 – מלמד בבית־הספר לאמנות של מכללת בית ברל ובבית־הספר קאמרה אובסקורה

תערוכות־יחיד

1986 – גלריה שרת, גבעתיים

1988 – גלריית בית־הספר לאמנויות חזותיות, ניו־יורק

1991 – ״ציורים שמחים״, גלריית האנטר, ניו־יורק

1992 – ״הסוחר העיוור״, גלריה בוגרשוב, תל־אביב

1995 – ״קדושים מעונים״, המוזיאון לאמנות ישראלית, רמת־גן

1996 – ״בעלי מקצוע״, סדנאות האמנים, תל־אביב

תערוכות קבוצתיות נבחרות

1985 – ״סיר־לחץ״, תיאטרון ירושלים

1987 – עבודות קטנות, אוניברסיטת ניו־יורק, ניו־יורק

1989 – ״סימנים״, ניו־יורק

– *Reconsidering Bodies, Reconfiguring Selves* גלריית האנטר, ניו־יורק

1994 – ״חרדה״, המוזיאון לאמנות ישראלית, רמת־גן

– ״מזימות קטנות, תכניות גדולות״, 319 גראנד, ניו־יורק

1996 – ״מיזאני, גוני הזהות המינית״, בית האמנים, ירושלים

1997 – ״המדרשה״, המוזיאון לאמנות ישראלית, רמת־גן

– ״אי/זכור״, גלריית עמי שטייניץ לאמנות עכשווית, תל־אביב

ספרי־אמן

1986 – *The Education of a Marginal Saint* (חניכותו של קדוש־שולי)

1991 – *The Blind Merchant* (הסוחר העיוור)

1992 – *Lucy* (לוסי)

ביבליוגרפיה נבחרת

1986 – חזי לסקלי, ״הרוזן לוטראמון״, העיר, תל־אביב

1991 – נעמי סימן־טוב, ״הטראומה של ׳הסוחר העיוור׳״, העיר, תל־אביב

1992 – לביאה שטרן, ״על ׳הסוחר העיוור׳ של רועי רוזן״, סטודיו 30

1994 – נעמי סימן־טוב, ״כתבי הקודש של רועי רוזן, ראיון״, העיר, תל־אביב

– רוברטו מ׳ דאינוטו, עדנה גולדשטאוב־דאינוטו, רועי רוזן, ציורי מרטירים, קטלוג תערוכה, המוזיאון לאמנות ישראלית, רמת־גן

1996 – אסתר דותן, ״רועי רוזן, ׳בעלי מקצוע׳, סדנאות האמנים״, סטודיו 77

1997 – דן דאור, ״רועי רוזן, ׳בעלי מקצוע׳״, סטודיו 79

של התועבה שהיתה השואה עצמה, התועבה
המניעה את התשוקה למצוא היגיון באירוע הזה,
ולבסוף, התועבה שהיא המלאכה הבלתי פוסקת של
האבל. לעולם לא לשכוח – ציווי נתעב.

כיום, חצי מאה לאחר השואה, כבר איננו בורים
ביחס לפרדוקסים הכרוכים באבל עליה ובהנצחתה;
הדבר ש"חיה ומות" עומד עליו בתוקף הוא, שלא
נתעלם עוד מן התוצאות של הפרדוקסים הללו. אם
נתעלם, רק נמיר תועבה אחת באחרת.

רב־זהויות. עיבוי של שפע מרכיבים שאינם ניתנים ליישוב. כשהוא מהגר מפרצוף לפרצוף, הוא מזכיר את מעופי המחשבה והפעולה הפרועים האופייניים למאניה. זהו סימן לתזזית של המתאבל שאיבד מגע עם העולם ה"אמיתי" – כעת כל הדברים מזכירים לו את האובייקט האבוד. הכול הוא השפמפם של היטלר. לכל הדברים אותו פרצוף. ועם זאת, השפמפם מסמן גם משהו שונה לגמרי. הוא עומד כאמצעי היולי של שלילה, קריאת "לא" פרועה כנגד פשע ששום אמירה גדולה יותר לא תהיה נאותה לו. וזוהי גם פעולת השחתה ילדותית, עקרה, כמו תחינה שהגיעה מאוחר מדי, קלושה מכדי להישמע, שברירית מכדי להביא לשינוי. והוא עוד משהו נוסף, שונה לחלוטין: השפמפם המשורבט בתנועות מהירות מתבלט על רקע מצע הציור המלוטש שעליו הוא כופה את עצמו ומתפקד כמשיכת־המכחול האקספרסיבית, ההבעתית, של האמן המודרני, סימן לנוכחות אמנותית. אבל הוא א י נ ו הסימן לנוכחות האמן, אלא לציור המודרניסטי, לשיח שעליו מתחנכים כל הציירים: זהו סימן מוסכם ומקובל לחלוטין, ועל כן ל א אישי. זהו הסימן של המופשט, של "איכות ציורית", של המצע השטוח של הציור הפוסט־קוביסטי. ברוח אסוציאציה אחרונה זו, דומה שהשפמפם המרחף טוען, שלא קיימת שום שפה "אמיתית" שבעזרתה ניתן להתאבל על השואה. משום ש מ ל מ ד י ם אותנו כיצד להתאבל, בדיוק כפי שמלמדים אותנו איך לצייר, אין בכך שום דבר "אמיתי" או "טבעי". שפת האבל שלנו אינה שלנו, היא ניתנת לנו. זוהי, אולי, המרתיעה בכל ההשלכות של "חיה ומות": האבל שלנו הוא קלישאה. הוא איננו אמיתי. הוא מדומה. הוא משחק, משחק שאנו כבר מיומנים בו. אנחנו משחקים היטב, ואנחנו יודעים זאת. ואנחנו מלמדים אחרים, כדי שגם הם ישחקו כיאות. זהו ההיבט ה"מתועב" של עבודתו של רוזן. אבל זהו גם ההיבט המתועב של האבל על השואה, שלעתים תכופות מדי מודחק או נידון להתעלמות בהנצחות המוכרות והמקובלות.

.3

נטילת הסיכון של הנתעב

במחשבה לאחור על "שואה", העיר קלוד לנצמן: "די לנסח את השאלה במונחים הפשוטים ביותר, לשאול, 'מדוע הרגו את היהודים?' השאלה מגלה את נתעבותה מיד. הפרוייקט של ההבנה כרוך באמת בתועבה מוחלטת. 'לא להבין' היה כלל הברזל שלי במשך כל השנים של הפיתוח וההפקה של שואה".[7]

איסור כנגד ה"תועבה" של ההבנה הוא איסור שאינו יכול להחזיק מעמד. איננו יכולים להימנע מן התועבה שהיא תוצאת המטלה הזו. להסכין עם "כלל הברזל" של לנצמן – להדחיק את הנתעב – משמעו להדחיק את התנאים אשר בהם אנו ממשיכים להתאבל. אין תקנה למצב הקורע הזה. ב"חיה ומות", תועבה מופיעה בריבוי של פיגורות – בפורנוגרפיה, בהומור, בעונג, בהזדהות עם התליין. וכמו הבונקר התת־קרקעי, כמו השפמפם הנודד, המתועב הוא סימן של ריבוי. זוהי פיגורה

[7] Claude Lanzmann, "Hier ist kein Warum," in *Au sujet de Shoa: le film de Claude Lanzmann* (Paris: Belin, 1990), p. 279.

למניפולציה ולמלאכותיות. אנו מובלים ללב הבונקר דרך מבוך של תעלות דמויות צלבי־קרס. רעש ההזדהות שלנו עם התליינים הוא תיפוף המהדהד באוזנינו, כשאנו צועדים מטה והרחק מן המוות הנערם מעלינו. כמו פיגורה בחלום, הבונקר הוא עיבוי של כמה דימויים. אם נזכיר בחטף רק אחדות מן המשמעויות הנלוות אליו, הבונקר מסמן: (1) את החלק שבנו הקבור מתחת לאור התבונה, החלק שאינו נראה אפילו לנו־עצמנו; (2) את העבר, קבור מתחת לערמות ההיסטוריה; (3) את האתר של המודחק, שהוא כאוב מכדי שנתבונן בו לאור יום. הוא מאחסן את מה שאיננו יכולים לחיות אתו, ואיננו יכולים בלעדיו; (4) פיגורה של התפתחות אונטוגנטית ופילוגנטית (התת־קרקעי הוא הפרימיטיבי, ההיולי. לרדת אל הבונקר משמעו רגרסיה); (5) אתר קבורה, מישור של מוות, אבדן מוחלט.

כך, הבונקר הוא אתר "בלתי־אפשרי"; הוא אינו יכול להיות אחד, אחיד, שלם, נטול־סתירות. אבל אם הבונקר הוא ההתעמתות הראשונה שלנו עם הפיגורה ה"בלתי אפשרית" – הפיגורה המאנית שבה מתנגשים דימויים ומסומנים בשדה של קואורדינטות לא־רציונליות – הרי שזו רק הפיגורה הראשונה. רבות אחרות מאכלסות את הדימויים של "חיה ומות כאווה בראון". אנו מוצאים פיגורות אחרות שכאלו בניכוסים המעוותים של ציורי נוף מן הרומנטיקה הגרמנית (ההר המשתין מתפקד כמרד של האדמה נגד ההתעמרות בה כ־Heimat, ובו־בזמן כאיור מעוות לסצנת מין בין האוהבים). אנו מוצאים זאת שוב בתזזית הקודחת של דימויים המוליכים אותנו דרך איורים גרמניים מסויטים לילדים (מקס ומוריץ, כיפה אדומה, ועוד), פורנוגרפיה יפנית (אוטאמרו), אמנות וסמלים נאציים (של ארנו ברקר ואחרים), איקונוגרפיה נוצרית איזוטרית, תמונות משפחה שתורגמו בעבודה מפרכת לציור, ועד לשפע הגדוש של דפוסים דקורטיביים שיוצרו באובססיביות. ואנו מוצאים זאת גם בטקסט – בסצנה 4, למשל:

> את שוכבת על הצד, עינייך פקוחות. גבו של אדולף מתנשם לפניך. העור התכלכל־לבנבן, שופע הבהרות, מכוסה שערות שחורות, עבות, הצומחות וזורמות בסדר מעורר השתאות, כמו שורות של עצים בחורש מלאכותי. בין העצים האדמה מלאה בגומות ורדרדות, פטריות חומות, שיחים ונקבוביות, וכל המישור המרהיב הזה עולה ונופל בקצביות אטית.

הכוח הכוזב המאפיין את העמדה המאנית – התחושה הכוזבת שיש כאן משום התגברות על האבדן – מופיע גם הוא ב"חיה ומות". כשחוויית המציאות המדומה שלנו מסתיימת בסצנה 10, התזזית מתפוגגת תחת המגע המלטף של זוג ידיו של מסז'יסט: "הגיהנום מזויף. הירוהישו [המסז'יסט] אמיתי. שום נזק לא נגרם. אתה – אתה. נשמח לראותך שנית".

אבל מכל הפיגורות של המאניה המתפקדות ב"חיה ומות", ישנה אחת שצפה מעל לשאר: זהו השפמפם של היטלר המופיע כמעט בכל מקום בציורים: מעטר את תמונת הילדות של האמן כתינוק, מתחת אף־הכפתור של דובון חביב, על הקלסתרים המחויכים של חמניות מרקדות, כמו גם על הפורטרטים השונים של עטלפים, חתולים וחפצי־בית. כמו הבונקר, השפמפם הוא סימן

דיבור. בעוד שהראשונה מבטאת עצמה באמצעות חזרה, השנייה מתגלה במעוף פרוע של פעולות ומונחים שאינם מתיישבים זה עם זה. בעוד שהמלנכוליה היא לא־הבעתית, המאניה היא אירונית. בעוד שהאחת היא התגובה של הזדהות ללא מבע, השנייה היא התגובה של מבע ללא הזדהות. נוכל להמחיש את ההבדלים באמצעות טבלה כדלקמן:

מלאנכולי	מאני
מזדהה ללא מבע	מביע ללא הזדהות
הכרחי אך לא מספק	מספק אך גדוש ועודף
חסר תנועה	היפר־אקטיבי
אילם	פטפטני
דכאוני	קל דעת
אנטי־חברתי	חברותי
נטול־מבע (חסר־כיוון)	אירוני (לא ישיר)
חסר היגיון	אבסורדי
גורם לחזרה	גורם להזיה
מסכין עם תסכול	מסכין עם תועבה

(הבחנה אחרונה זו היא, אולי, הפרובוקטיבית מכולן; נדון בה בסוף המאמר)

בדחותו את הרצון־לדממה של העמדה המלנכולית, "חיה ומות" מאמץ במקומו את העמדה החברתית, האירונית, האבסורדית, הגדושה והנתעבת שנוכל כעת להבינה כאופיינית למאניה. זוהי עמדה המתעקשת להביע, אך יודעת היטב שהמבע שלה אינו בשום פנים ואופן הזדהות. עבודתו של רוזן מגיבה לצורך להנציח, אך עושה זאת "מהצד האחר", משהו בדומה לאופן, שבו רואה אליס את העולם מצדה האחר של המראה. מהצד האחר הזה, הצער אמיתי אף אם החוויה עצמה מדומה. מכאן כותרת־המשנה של "חיה ומות": "הצעה מאוירת לתסריט מציאות מדומה, שלא למטרות מימוש".

התסריט מתרחש בבונקר, מתחת לקרקע – אתר הולם. נכפה עלינו לרדת מטה, דרך מבוך רוחש חיות אפלות (נוכחות העכברושים דומיננטית). מתחת לפני הקרקע אנו חיים בעולם מלאכותי. אור חשמל, חדרי המגורים דמויי־תא. השעונים הפנימיים שלנו, שעל פני הקרקע מנחים אותנו בין שינה וערות, משועבדים כעת

נאצית, ועד לתמונות משפחה של האמן עצמו. ולמרות שהציורים מאוחדים בכך שהם מוגבלים לשחור, לבן ואפור, הם מנצלים כמה טכניקות שונות המאזכרות מגוון של סגנונות היסטוריים: מהמוקפד והדקדקני ועד לילדותי והמשורבט, מרישום הקו הפשוט של איורים חובבניים ועד לפרטים הדקים של דפוסי־מצע סבוכים.

ככלל, "חיה ומות" דומה לכל מה שאקט ההנצחה הלגיטימי איננו. למעשה, בכמה ממאפייניו הבולטים ביותר, הוא מעלה על הדעת את היצירה שהיא, קרוב לוודאי, אקט ההנצחה הנכבד ביותר של המאה הנוכחית – "גרניקה" לפיקאסו – וזאת רק כדי להתכחש לקישור בו־זמנית. שתי העבודות מגבילות עצמן לשחור ולבן, אך בעוד שב"גרניקה" המגבלה הכפויה־עצמית הזו משמשת כדי לתבוע ריסון קלאסי וסמכותיות מוסרית, יש משהו אירוני, אם לא מופרך, במגבלה הצבעונית של "חיה ומות": דרך אזכור תמונות משפחה נדושות, מסכי מחשב מונוכרומיים שאבד עליהם הכלח, וקריקטורות ואיורים המיוצרים תעשייתית, השימוש של רוזן בשחור־לבן מוביל אותנו הרחק ככל שאפשר להעלות בדמיון ממושלמות קלאסית או סמכותיות מוסרית. עוד הבדל עקרוני בין שתי העבודות כרוך במבע שלהן. ב"גרניקה", צער, כאב ומוות נראים לעין מיידית, על פני השטח של הציור, ורגשות אלו מוצגים כישירים וכנים. ב"חיה ומות", כל מבע הוא מוטה, מהופך, מהתל, מדגדג ועוקץ; אנו מעיפים מבט בצער ובכאב רק באופן לא ישיר. בעוד שה"גרניקה" מורכבת מדימויים מרוסקים ומנותצים, פרגמנטים נבדלים המתאחדים במסגרת הבד, "חיה ומות" מורכב מאחדויות נפרדות שנלקחו ממקורות אחרים, רק כדי לפזר ולִקטע אותן על פני הקיר, או בין דפי הספר. ובעוד שדומה שיצירתו של פיקאסו כיוונה לפורקן קתרטי של רגשות, עבודתו של רוזן עומדת על כך שקתרזיס אינו אפשרי.

משפירטנו את הדרכים הברורות ביותר שבאמצעותן "חיה ומות" מציג עצמו כהיפוך של הנצחות מקובלות, אנו יכולים לחזור אל הטקסט של פרויד כדי לנסות ולהבין את העמדה האנטי־מלנכולית הזו. למרות שפרויד בחר לקרוא למחקרו "אבל ומלנכוליה", יכול היה באותה מידה להשתמש בכותרת "אבל, מלנכוליה ו מ א נ י ה", משום שהיה ברור לו שכל השלושה שייכים לאותו קומפלקס של רגשות, כל השלושה נובעים מאותה חוויה של אבדן וצער. למעשה, לקראת סוף המאמר, פרויד עומד על כך ש"התוכן של המאניה אינו שונה מזה של המלנכוליה ... [שתיהן] נאבקות עם אותו 'קומפלקס'". יתרה מזאת, "הנטייה של מלנכוליה להפוך למאניה – מצב הפוך לחלוטין מבחינת הסימפטומים שלו" – היתה, לדעת פרויד, "המאפיין המדהים ביותר של המלנכוליה".[6] באבחנה זו אנו מוצאים את האמצעים להבין את המרכיבים המוזרים של "חיה ומות". הפרוייקט מיישם מחדש את אקט האבל ברגע שהעמדה המלנכולית "משתנה והופכת למאניה", ועם זאת, על כל פנים, הוא "נאבק באותו קומפלקס".

אם נבין את המאניה באופן זה, כמשלימה פרדוקסלית לעמדה המלנכולית המקובלת והמוכרת, נוכל עתה לחשוף את התוצאות של אימוץ העמדה האחת או העמדה האחרת. בעוד שמלנכוליה מייצרת שתיקה, מאניה מייצרת שטף

[6] שם, עמ' 253.

ששקלו את הפרדוקס שבעמדה זו, גם תחושה של תסכול המלווה מחוות מעין אלו – אנו מוצאים שלבעיה זו, לפרדוקס זה, יש מקבילה ברורה ומוגדרת בשדה הפסיכואנליזה. מקבילה זו היא מלנכוליה.

ב"אבל ומלנכוליה",[5] הציג פרויד את השניים כתגובות אופייניות לאבדן של אובייקט אהוב. שתי התגובות מדגימות רגשות זהים כמעט: "אומללות ספוגת כאב, אדישות ביחס לעולם החיצון, אבדן היכולת לאהוב, קיפאון של כל פעילות". ההבדל היחיד בין אבל נורמלי ומלנכוליה פתולוגית הוא, שבמצב השני נחווית גם "הנמכת היחס העצמי לדרגה המוצאת ביטוי בהלקאות־עצמיות ובגינויים־עצמיים, מצב המוביל לציפייה משלה ומתעתעת לעונש". אנאליטיקנים ורופאים מאוחרים יותר נטו לראות את הקו המבדיל בין אבל ומלנכוליה כברור פחות; כיום, מלנכוליה נתפסת כשלב מסוים בתהליך האבל. אבל־מלנכולי הוא אופן ההתאבלות המתבטא בשילוב של רגשות, שבכללם אומללות כאובה, אדישות לעולם החיצון, אבדן היכולת לאהוב (להרגיש), וחוסר פעילות מצד המתאבל.

לאור תיאורו של פרויד, אנו מוצאים דמיון רב בין מלנכוליה ובין העמדה הננקטת בהנצחות המוכרות והמקובלות. חוסר הפעילות המשתמע מהרשת המרוקנת, הדהודה של אומללות כאובה, הרצון־לדממה המשמש כדי לנתק אותנו מן העולם החיצון, כמו גם הדחף למעין ענישה־עצמית באמצעות החזרה של האירוע הטראומטי – כל המרכיבים הללו מוליכים אותנו לתאר את שיח ההנצחה המקובלת של השואה כמקובע באמצעות עמדת־אבל מלנכולית. במילים אחרות, באמצעות העמדה המלנכולית מצאו הנצחות השואה דרך לציית הן לציווי לזכור הן לתנאי שזיכרון זה חייב לכבד את אי־האפשרות־להביע את החוויה.

2. ההנצחה המאנית

היכן אנו ניצבים, אם־כן, ביחס לפרוייקט הנידון כאן? כיצד בדיוק מתקשר "חיה ומות כאווה בראון" להנצחות שתוארו לעיל, שהרי ברור ומובן שיש בו מעט מאוד ממה שניתן להגדיר כמלנכוליה? אכן, במבט ראשון דומה שאנו ניצבים בפני הנצחה מהופכת לחלוטין: במקום שההנצחות המקובלות מזדהות עם הקרבנות, רוזן מעמיד אותנו בעמדת הזדהות עם התליינים; במקום שההנצחות המקובלות והמוכרות מוותרות על מבע, הרי שכאן אנו מוצאים משהו היפר־הבעתי. בעוד שהקודמים חמורים ומרוסנים, האחרון גדוש באופן נתעב. אכן, בלב־לבו של התסריט שמציע הטקסט (הסצנה החמישית, ממש באמצע המסע־דרך־אווה), אנו שחקנים בסרט פורנוגרפי. היפוך זה של עמדת ההנצחה ניכר אפילו באופן ההצגה של הציורים: דרך רמיזה ועם זאת התנגדות לפורמט הרשת שלמדנו לצפות לו, היצירה משגרת את היחס המהופך שלה להזדהות האילמת של הנצחות מודרניסטיות מקובלות. במקום חזרה סדורה, הציורים של "חיה ומות" עושים שימוש במגוון רחב של דימויים ואסוציאציות, מניכוסים של תעמולה

5 Sigmund Freud, "Mourning and Melancholia," [1917] in *The Standard Edition of the Complet Works of Sigmund Freud*, translated and edited by James Strachey, vol. 14 (1947), pp. 243–58.

לכותרות מוגמרות, אנו מגלים את החסר). כאן, כמו ב"אנדרטה נגד פאשיזם", ההנצחה מציגה בפנינו הזדהות אילמת, שרידים של חוויה ללא מבע.[3]

דוגמה שלישית מגיעה מ"אתר ההנצחה לשואה של ארצות־הברית" בוושינגטון הבירה. כפי שתוכנן בידי הארכיטקט הראשי של המוזיאון, ג'יימס אינגו פריד, לב הבניין (וגם האתר האחרון שמגלה המבקר) מתגלם כחלל ענקי וריק, הממוסגר משׁשת צדדיו בשורה כפולה של נרות שעווה. שוב, הצורה מוגדרת על ידי חוסר־מבע וחזרה.[4]

רשימה מלאה של הנצחות מעין אלו תהיה ארוכה. היא תכלול את החלל הגדול והריק המוקדש לזכר השואה בתכנית הארכיטקטונית של דניאל ליבסקינד ל"הרחבה של מוזיאון ברלין עם מחלקת המוזיאון היהודי", את ההצעה שלא מומשה מאת לואי קאהן (רשת של שש קוביות בעבור ששת מיליוני ההרוגים), וכך גם עבודות כגון אנדרטת "הצורה השלילית" לאשרוט־ברונן, 1987, מאת הורסט הוהייזל, פסל שמכיכר העיר הוא נעלם מן העין ונדמה כלא־קיים.

המאפיין המאחד של מונומנטים אלו צריך להיות ברור בשלב זה: הציווי הראשוני "לא לשכוח לעולם" מתקיים תוך יחס לְהֶמְנֵעַ הראשוני, "החוויה אינה ניתנת להבעה", על ידי אימוץ עמדת־ההנצחה הבאה: הזדהה ללא מבע. בנה את האנדרטה הריקה. מובן מאליו שגם ביטוי של ריקנות הוא הבעה, כמו כל ביטוי אחר. אולם הריקנות שבה אנו עוסקים היא ביטוי ייחודי בכך שהיא מציעה חלל ריק, שנועד להתמלא בהקרנת ה"אני" של הצופה – לשון אחר, זוהי הבעה המתמקדת ברצון לידום, בהכחשה של היכולת למבע. הפילוסוף המרכזי של עמדת־הנצחה זו הוא תיאודור אדורנו, שבהצהרה המפורסמת ביותר שלו, עמד על כך שלנוכח השואה רק דממה אפשרית. העובדה שמאוחר יותר הוא הביע תסכול ביחס לעמדה זו היא סימן לתנאי הכובל הבלתי־אפשרי שנגזר על אלו המתעקשים להגיב, הן לציווי הן לאיסור, והממסגרים את אופני ההנצחה שלנו. (כמה מספק יותר היה להתעלם מן האחד או מן האחר...)

כשאנו שוקלים הנצחות אלו לפי המאפיינים המשותפים שלהן – כשאנו מדגישים את הקשרים בין הרצון המוצהר לדממה, הנטייה להזדהות אילמת, ההעדפה לחזרה אינסופית, ואצל אלו

3 קרוב לוודאי שהשימוש ברשת הוא האמצעי השכיח ביותר הננקט באנדרטאות המאוחרות לשואה. אלמלא מגבלות של מקום, יכולתי לתאר מקרים רבים נוספים, שביניהם אחת הדוגמאות הפרדיגמטיות ביותר היא ה"אנדרטה ליהודים הנעדרים" של סול לוויט, שהוצבה ב־1989 בפלאץ דר רפובליק שבהמבורג־אלטונה, גרמניה. במקרה זה, קיר שחור של לבנים דמויות־בטון חוסם את המבט ואת הגישה הישירה אל הבניין המרכזי של הכיכר. הן בצורה הן במיקום, האנדרטה של לוויט מייצרת עיוורון, מקדמת דממה. לתיאור של הנטייה המיוחדת של הרשת לדממה – נטייה שאנו יכולים כעת להבין כהולמת לשימוש באנדרטאות שואה – ראה:

Rosalind Krauss, "Grids," in *The Originality of the Avant-Garde and Other Modernist Myths* (Cambridge: MIT Press, 1985), pp. 8–22

4 ראה את הערותיו של פריד על רצונו לשמר תחושה של אי־אפשרות־להביע דרך השימוש ב"ערפול" ואפילו ב"בנאליות" בחלקיו השונים של המוזיאון, בתוך *The Art of Memory* (לעיל, הערה 2), עמ' 89־101.

למעשה, המחשבה היומיומית שלנו [במחנות]: שאם נשוב הביתה ונרצה לספר, יחסרו לנו המילים.[2]

אם בעבור ניצול, החוויה היתה "בלתי ניתנת להבעה", הרי שהבעיה כפולה ומכופלת בעבור אלו מאתנו שלא עברו אותה. כיצד אנו אמורים להנציח את המאורע הזה? כיצד אנו מבטאים חוויה שאפילו הניצול מוצא שאין לה מבע? זהו התנאי הכובל המרכזי שנכחו נבנות כל הנצחות השואה. בלי התייצבות אל מול הבעיה הבלתי־אפשרית הזו, בלי הכרה בכישלון ההכרחי להביע את מה שלא נחווה, ניצב המנציח מול סכנה חמורה בהרבה – של זילות המאורע. כל זה מסתכם בהכרה (שממנה מתעלמים עדיין בכמה מן המחוזות המרכזיים ביותר), שאתרי זיכרון המתיימרים להביע את החוויה הם, בהכרח, מושחתים. על כן, מאחר ששום הבעה אינה יכולה לקוות להזדהות עם החוויה, כל ההנצחות המכובדות של השואה נאבקות למקם עצמן בחלל הבלתי־אפשרי שבין שתי עמדות בלתי־ניתנות־ליישוב: בין מבע לבין הזדהות. בלתי ניתן לממש את שתיהן. זהו גם החלל שבו "חיה ומות כאווה בראון" של רועי רוזן נאבק כדי למקם את עצמו.

אבל מיקומו בקרב סוגי ההנצחה המוכרים הוא ייחודי בבירור. ועל כן, למרות שהפרוייקט של רוזן מוקדש לכמה נושאים סבוכים, נראה לי שהתימה הנזקקת ביותר להעמקה מיידית היא ההיבט של הפרוייקט העוסק בשאלת האבל ובהנצחת זיכרון השואה. לשם כך נצטרך למקם את "חיה ומות" בהקשר של ההנצחות מן הזמן האחרון.

כשאנו מתבוננים בהיסטוריה של הנצחת השואה, אנו מגלים, בעקביות רבה, כבוד ניכר לטענת אי־האפשרות־לדבר שמציגים אנשים דוגמת לוי. למעשה, כבוד זה בלבד מאחד מגוון רחב של מונומנטים עכשוויים.

חִשבו, תחילה, על ה"אנדרטה נגד פאשיזם" של אסתר ויוכן גרץ. ב־1987 הציבו האמנים עמוד מלבני בגובה שנים־עשר מטר בלב הארבורג, גרמניה. תושבים ומבקרים הוזמנו לחרוט כל שחפצו אל תוך ציפוי הבדיל הרך שכיסה את עמוד הפלדה. לאחר זמן מה הונמך החלק ה"מלוכלך" של העמוד אל תוך האדמה, ותוך כך הושתקו המילים והדימויים והומרו במצע נקי וחדש של בדיל. תהליך זה של חריטה והנמכה בוצע שבע פעמים נוספות, עד שהאנדרטה שקעה כולה אל האפר. בהיותה בלתי נראית לחלוטין, האנדרטה תסמן לעד את ההזדהות האילמת עם מי שעברו לידה והותירו משהו מעצמם על פניה.

אנדרטה אילמת דומה מופיעה על הגבעה הפחוסה של "יד ושם": "יד לילד", שנבנתה ב־1987 בידי משה ספדיה, אדריכלים בע"מ. רשת (גריד) של עמודים מרובעים מאבן ירושלמית ניצבת בהזדהות דוממת עם הילדים שנגדמו לפני הגיעם לבגרות (האבנים מזהות עצמן עם הילדים בהיותן בגבהים משתנים ומעובדות באפן גס ומחוספס בראשיהן – במקום שבו היינו מצפים

1 הערת המתרגם: בחרתי לתרגם כך את המילה האנגלית Memorial, שבשורשה מצוי "זיכרון", שכן למילה העברית "הנצחה" מטען אטימולוגי שונה לחלוטין. על הקורא לזכור, על כל פנים, פער משמעות עקרוני זה, המצוי במרקם השפה.

2 Primo Levi, "Revisiting the Camps," in *The Art of Memory: Holocaust Memorials in History*, edited by James E. Young, (New York: Prestel-Verlag, 1994), p. 185.

אבל ומאניה

על "חיָה ומוּת כאווה בראון" מאת רועי רוזן

רוג'ר רותמָן

"חיה ומות כאווה בראון" מורכב מטקסט קצר ומשישים ציורים בשחור־לבן על נייר. בתערוכה מודפס הטקסט באותיות לבנות על רצועות שחורות, דמויות עמודים ארוכים, הנמתחות מן התקרה עד הרצפה. הציורים תלויים בין רצועות טקסט אלו במקבצים המאזכרים את תערוכות הסלון הצרפתיות.

הטקסט, המחולק לעשר "סצנות" נפרדות, מציג עצמו כחוברת פרסומית מפוקפקת. הוא פונה בגוף שני אל הלקוח הפוטנציאלי ומציע חוויית בידור בלתי סבירה: להפוך, באמצעות "מציאות מדומה", לפילגשו של היטלר. מתואר התסריט הבא: הצופה הופך(ת) לאווה בראון, חווה רגעים של אינטימיות רומנטית עם הדיקטטור, מתאבד(ת), ו"זוכה" לטיול קצר בגיהינום.

בעוד שהטקסט מנחה את הצופה מאירוע אחד למשנהו, הציורים אינם יוצרים קו עלילתי. במקום זאת, הם מציגים מגוון הזוי וקודח של דימויים, השואבים משפע מקורות. ככלל, הפרוייקט מתייחס לזכר השואה באופן מוזר, ואולי אף נתעב. נדמה שהוא עומד על כך שנזדהה לא עם הקרבנות של מחנות ההשמדה, אלא עם התליינים. במקום זוועה, ניתן לנו הומור; קדרות מורבידית מומרת במיניות. כמעט מכל זווית, דומה ש"חיה ומות כאווה בראון" מציע לנו פעולת הנצחה שעברה היפוך מוחלט.

---

1. אתרי־זיכרון[1] ומלנכוליה

ב־1986, ניסח פרימו לוי, במונחים הפשוטים ביותר, את הבעיה הניצבת לפני כל מי שמבקש להנציח את זכר השואה:

פעמים רבות אנו, ניצולי מחנות הריכוז הנאציים, הבחנו כמה מוגבלת יכולתן של מילים לתאר את חוויותינו ... בכל הדיווחים שלנו, בעל־פה ובכתב, מצויים ביטויים כגון "לא־יתואר", "בלתי ניתן להבעה", "אין די במילים..." זו היתה,

האמנות הישראלית, שלא כתחומים אחרים של התרבות בישראל, נמנעה במשך שנים רבות ממתן ביטוי חזותי ישיר לטראומת השואה. היו חוקרי אמנות שראו בתופעה זו "טאבו של האמנות". ניסיון לשבור טאבו זה נעשה בשנת 1980 בידי משה גרשוני, בשני מיצבים שונים (בביינאלה בוונציה ובמוזיאון תל אביב לאמנות), שבהם עשה שימוש בסמלי הקרבן והתליין. עבודות אלו היו לדעת רועי רוזן נקודת־מפנה דרמטית, שהפכה, לדבריו, את "אי־נִראוּתה של הטראומה לנִראוּת". רוזן עשה צעד נוסף בהתמודדות עם טראומת השואה ועם "נראותה". הדימויים, הסמלים והרכיבים האחרים שבעבודותיו מתייחסים ישירות לשואה, לנאציזם ולתרבות הגרמנית, והם משולבים בדימויים מן האיקונוגרפיה האישית שלו.

הטקסטים המלווים את יצירתו של רוזן מציעים "מציאות מדומה כתובה" של פרקים מחייה של אווה בראון, פילגשו של היטלר. עם זה, רוזן איננו מציג את השואה ישירות, אלא מטפל בה כזיכרון. "נראותה" של השואה בעבודותיו היא ממרחק זמן ומקום וכך החוויה הטראומטית איננה עוד טרייה וחדה, והיא הופכת לזיכרון טראומטי. מתוקף היותו אמן ישראלי צעיר, מעלה רוזן שאלות לגבי משמעות הזיכרון בתודעה, וקודם כל בתודעתו־שלו. התמודדותו היא אישית מאוד ורגשית מאוד: הוא מעלה את הבלתי אפשרי, את הלא נוח, את הכאב, הזוועה והאלימות, ובוחן איך הם מחלחלים ומופנמים בתודעתו.

הצגת יצירתו של רוזן במוזיאון ישראל ממחישה את המחויבות הנמשכת של המוזי־און לאפשר לאמנים ישראלים להתמודד עם הנושא הקשה של השואה, בייחוד כיום, כשהחוויה הולכת ומתרחקת מן האירוע עצמו. תערוכות כגון אלו משקפות את הכרת המוזיאון בחשיבותה של הצגת האמ־נות הישראלית העכשווית לגווניה ועם זה את הרגישות והקושי של הנושאים והחומ־רים העומדים לפני האמנים כיום.

התערוכה וספר־האמן התאפשרו בעזרת מענק מאת קרן נתן קאמינגס, ניו־יורק, באמצעות ביאטריס קאמינגס־מאיר, שיקגו. אסירי תודה אנו להם על פתיחותם ועניינם באמנות ישראלית עכשווית ועל שאפשרו להציג את התערוכה ולהוציא ספר־אמן זה לאור.

מאירה פרי־להמן
אוצרת ראשית לאמנויות בפועל

Exhibition and Artist's Book
made possible by a grant from the
Nathan Cummings Foundation,
New York, secured by
Beatrice Cummings Mayer, Chicago

התערוכה וספר־האמן התאפשרו
בעזרת מענק מאת קרן נתן קאמינגס, ניו יורק,
באמצעות ביאטריס קאמינגס־מאיר, שיקאגו

The book is published in conjunction
with the exhibition

Live and Die as Eva Braun
Roee Rosen: An Installation of
Works on Paper and Text

Mounted at The Israel Museum, Jerusalem
Billy Rose Pavilion
Fall 1997

הספר רואה אור
לרגל התערוכה

חיֵה ומות כאווה בראון
רועי רוזן: מיצב של עבודות
על נייר וטקסט

שנערכה במוזיאון ישראל, ירושלים
בביתן בילי רוז
סתיו תשנ״ח

Exhibition curator: Yudit Caplan
Book design and production:
Michael Gordon, Tel Aviv
Editing: Anna Barber
Copy editing: Annie Lopez
Photographs: "Oote Boe", New York
Plates: Shapiro Ltd., Tel Aviv
Printed by Offset A.B. Ltd., Tel Aviv
Bound by Keterpress Enterprises, Jerusalem
Printed in an edition of 600 copies

אוצרת התערוכה: יהודית קפלן
עיצוב הספר והפקתו: מיכאל גורדון, תל־אביב
עריכה: ששונה יובל
תצלומים: ״אוטה בואה״, ניו־יורק
לוחות: רפרוגרפיה שפירא בע״מ, תל־אביב
דפוס: אופסט א.ב. בע״מ, תל־אביב
כריכה: מפעלי דפוס כתר, ירושלים
הספר נדפס במהדורה בת 600 עותקים

ISBN: 965–278–209–2

מסת״ב: 965–278–209–2

נספחים לספר־האמן

פתח דבר

רוג'ר רותמן: אבל ומאניה

ציוני־דרך ביוגרפיים

ספר־האמן נקרא בכיוון הלועזי, משמאל לימין.

G. Berg.

XI.97